我記得

 我記得

——種子和小鳥的互利關係

文　　圖	劉小屁
責任編輯	朱君偉
美術編輯	黃顯喬
發 行 人	劉振強
著作財產權人	三民書局股份有限公司
發 行 所	三民書局股份有限公司
	地址　臺北市復興北路386號
	電話　(02)25006600
	郵撥帳號　0009998-5
門 市 部	(復北店) 臺北市復興北路386號
	(重南店) 臺北市重慶南路一段61號
出版日期	初版一刷　2019年11月
編　　號	S 317651

行政院新聞局登記證局版臺業字第〇二〇〇號

ISBN　978-957-14-6719-1　(精裝)

http://www.sanmin.com.tw　三民網路書店

※本書如有缺頁、破損或裝訂錯誤，請寄回本公司更換。

我記得

種子和小鳥的互利關係

劉小屁／文圖

三民書局

小紅是一隻喜歡旅行的小鳥。

桑桑是一顆長在森林裡的小果子。

他們是很好很好的朋友！

每次旅行回來，小紅總是迫不及待的跟桑桑分享他在旅行中看到的一切。

「我也好想看看美麗的風景啊！」桑桑對小紅說。

「沒問題！等我找到最美麗的風景，就回來接你！」

小紅說完就拍著翅膀飛走了。

小紅飛啊飛，
從這裡飛到那裡。

只有在肚子餓的時候，
才停下來吃一點東西。

小紅飛啊飛，從這裡飛到那裡。

只有在好黑好黑的夜裡，

才停下來睡一會兒覺。

半路上，

小紅遇到了一隻好可愛的小鳥，

差一點忘記桑桑還在等著他。

還好，小紅沒有忘記他和桑桑的約定！

「我不能留下來，我的好朋友還在等我。」小紅說。

小ㄒㄧㄠˇ紅ㄏㄨㄥˊ找ㄓㄠˇ呀ㄧㄚ找ㄓㄠˇ，從ㄘㄨㄥˊ這ㄓㄜˋ裡ㄌㄧˇ飛ㄈㄟ到ㄉㄠˋ那ㄋㄚˋ裡ㄌㄧˇ。

飛ㄈㄟ了ㄌㄜ好ㄏㄠˇ久ㄐㄧㄡˇ好ㄏㄠˇ久ㄐㄧㄡˇ，

尋ㄒㄩㄣˊ找ㄓㄠˇ著ㄓㄜ心ㄒㄧㄣ目ㄇㄨˋ中ㄓㄨㄥ最ㄗㄨㄟˋ美ㄇㄟˇ的ㄉㄜ風ㄈㄥ景ㄐㄧㄥˇ。

桑桑等呀等，從白天等到黑夜。

等了一天又一天，

安靜的等待小紅回來。

一個晴朗的午後，小紅回來了。「我找到最美麗的風景了，快跟我走吧！」

桑桑開心的準備打包行李，但卻被小紅……

啊～

啊

「為什麼要吃掉我？」

桑桑在小紅黑漆漆的肚子裡問。

「因為要帶你去看美麗的風景呀！」

小ㄒㄧㄠˇ紅ㄏㄨㄥˊ一ㄧ邊ㄅㄧㄢ飛ㄈㄟ，

一ㄧ邊ㄅㄧㄢ跟ㄍㄣ肚ㄉㄨˋ子ㄗ˙裡ㄌㄧˇ的ㄉㄜ˙桑ㄙㄤ桑ㄙㄤ聊ㄌㄧㄠˊ天ㄊㄧㄢ，

分ㄈㄣ享ㄒㄧㄤˇ著ㄓㄜ˙旅ㄌㄩˇ行ㄒㄧㄥˊ間ㄐㄧㄢ遇ㄩˋ到ㄉㄠˋ的ㄉㄜ˙事ㄕˋ。

桑桑聽著聽著，

在暖呼呼的肚子裡

放鬆的睡著了，

還做了好幾個關於旅行的夢。

起來囉

小紅輕輕搖醒睡著的桑桑。

「好美啊！」兩個好朋友靜靜的坐在一起。
桑桑看著從來沒有見過的美麗風景，
開心的笑了！

知識補給站

種子和小鳥的互利關係

曹先紹

在動植物的世界裡，不是只有單純的你吃我、我吃你而已，有時候還有互相幫忙的情況存在著，而本書的主角們——紅胸啄花鳥與桑寄生就是這樣的互利關係。

紅胸啄花屬於啄花科的鳥類，為臺灣特有亞種，同時也是臺灣鳥類中體型第二小的，從嘴巴到尾巴尖端的長度才 9 公分而已（最小的鳥是同為啄花科的綠啄花）。牠們平常都在中高海拔處活動，喜歡吃漿果（尤其是水麻的果實），但水麻生長在較低的海拔區域，因此在水麻結果時，牠們還會為了美食特地降到這個海拔活動。

▲紅胸啄花（♀）

▲紅胸啄花（♂）

而另一位主角大葉桑寄生是一種「半寄生植物」，無法像其他木本及草本植物一樣獨自養活自己，它利用寄生根從寄主植物身上吸取養分，但若養分不夠使用時，還是可以利用自身的葉片行光合作用製造養分。

桑寄生在夏秋時會結出紅紅的果實吸引啄花鳥來取食，但它的種子外面具有黏性，啄花鳥排遺時難免會黏在鳥屁股上，啄花鳥就會想要在樹枝上蹭掉這具有黏性的種子，種子也因此有機會黏附在寄主植物上生根、發芽，繁衍出新的一代。這樣演化出的互利關係，不只讓啄花鳥可以飽餐一頓，也可以協助桑寄生種子達到傳播的目的。

▲桑寄生

本書利用擬人化的風格，將這種互利共生的關係轉化為友誼，啄花鳥在看遍了美麗風景後，將好友桑寄生也帶去了遙遠的地方一起欣賞，除了介紹互利共生的觀念，也順勢導入隱喻的品格教育。

圖片來源：Shutterstock

作者簡介

劉小屁

本名劉靜玟，臺北市立師範學院畢業。
離開學校後一直在創作的路上做著各式各樣有趣的事。
接插畫案子、寫報紙專欄，作品散見於報章與出版社。
在各大百貨公司與工作室教手作和兒童美術。
2010 年第一本手作書《可愛無敵襪娃日記》出版。
2014 年出版了自己的 zine《Juggling from A to Z》。
2018、2019 年與三民書局合作出版小小鸚鵡螺科普繪本《小小的寶藏》、《小斑長得不一樣》、《最好的擁抱》、《小里的建築夢》、《我記得》五本繪本。
開過幾次個展，持續不斷的在創作上努力，兩大一小加一貓的日子過得幸福充實。

給讀者的話

《我記得》是一本結合了科普知識和品格教育的繪本。
我們利用「紅胸啄花和桑寄生的互利關係」來說一個關於承諾和等待的故事。
故事中四處旅行的主人翁「小紅」，一心想讓只能待在原地的好朋友「桑桑」，也看看美麗的風景，不斷努力尋找，最後終於達成了承諾。
答應過的事如果遇到了一些狀況，還能堅持完成嗎？肚子餓了，累了，遇到了更有趣的事，會不會就忘記了，把承諾丟在一旁？
留在原地的人能夠心平氣和的等待嗎？時間越來越久，也能堅定的相信朋友沒有把他忘記？還是能放鬆心情也享受一下等待的時光，期待著和朋友一起完成約定呢？
無論是許下承諾的人，或是等待著的人，都能將約定放在心上並且體諒對方。
重視彼此間的承諾，友情也會更加強韌美好唷！